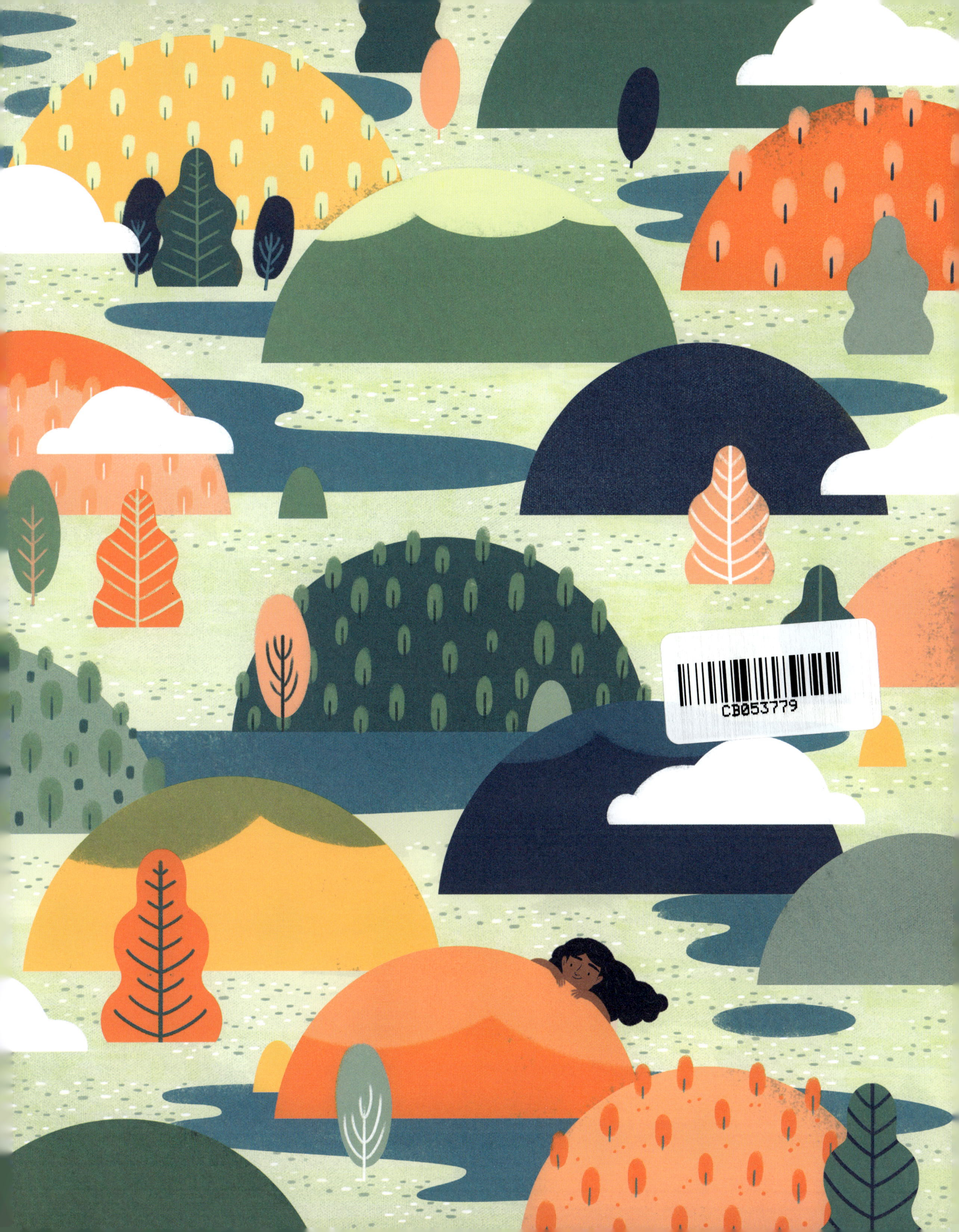

Para Rubin e Mara, com amor. — P. M.

Para todas as crianças que lutam e cuidam de nossa amiga Terra. — F. S.

Minha amiga Terra

Escrito por Patricia MacLachlan

Ilustrado por Francesca Sanna

Tradução de Fabrício Valério

VR Editora

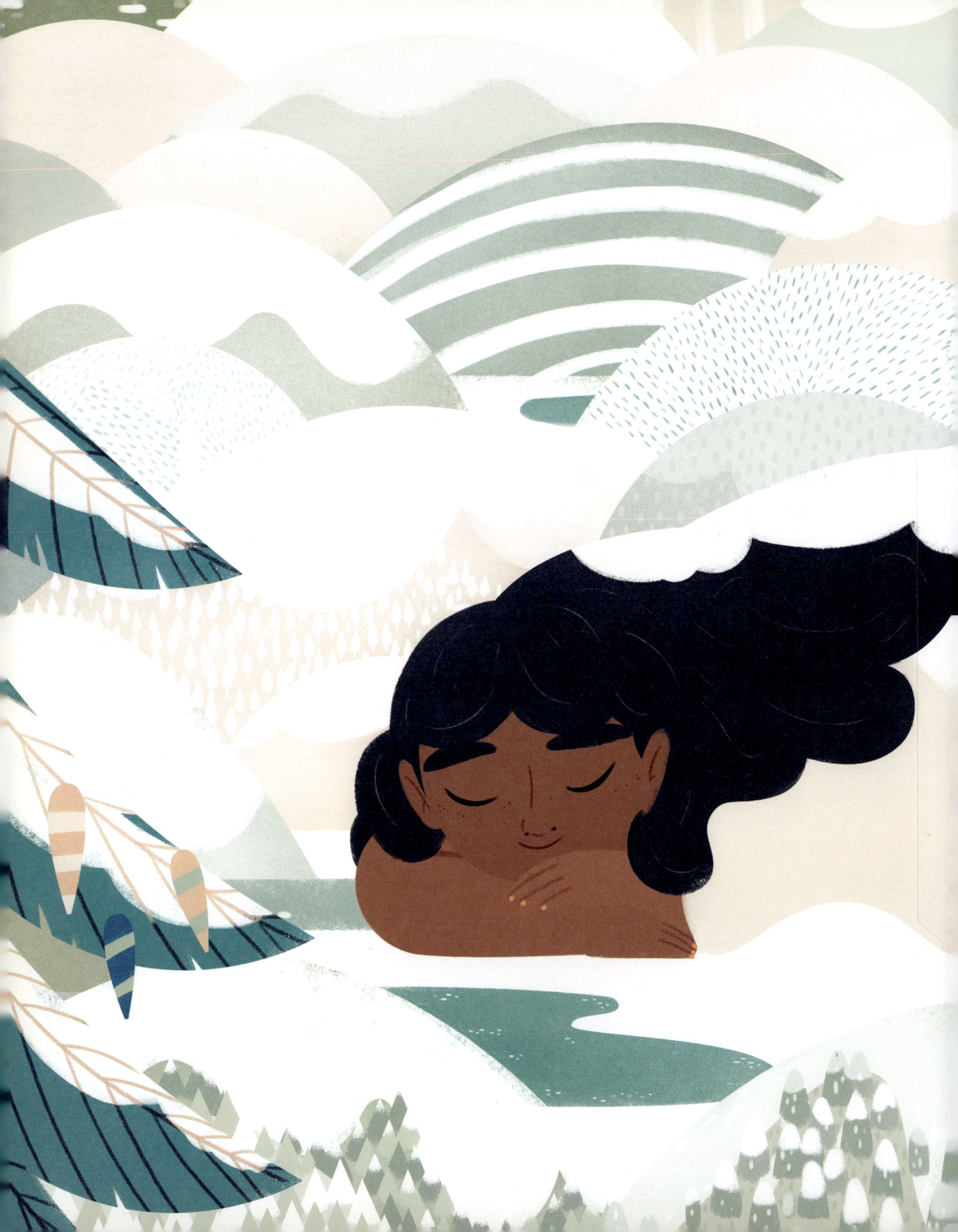

Minha amiga Terra desperta de sua soneca de inverno.

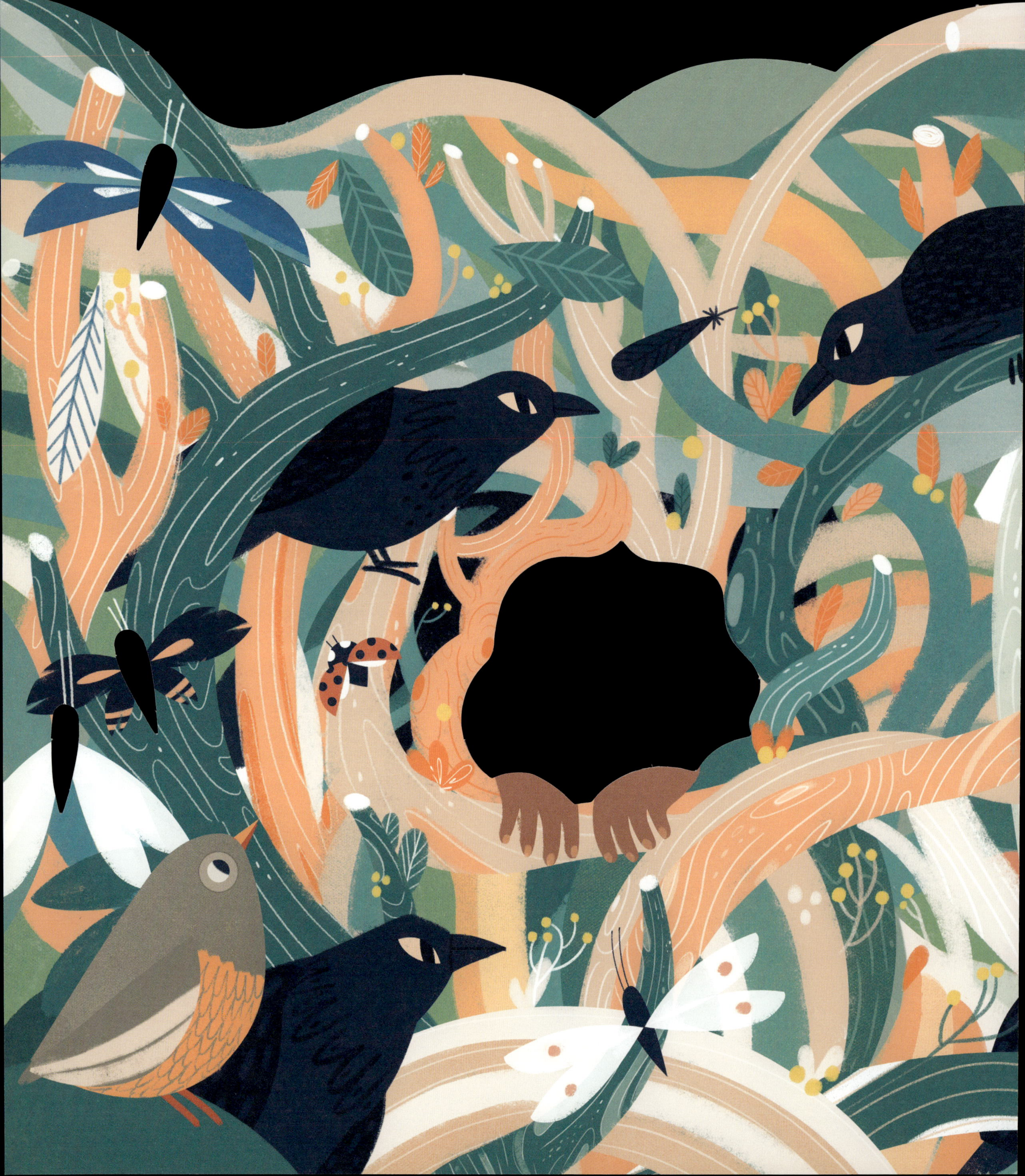

Ela ouve a algazarra primaveril —
a enxada do lavrador golpeando a terra,

o grasnar dos corvos.

Ela vê o pequeno –

a silenciosa semente,

a aranha tecendo a prata,

o pintarroxo e as cambaxirras.

E o grande —

o albatroz de longas asas   cruzando o mar,

a toupeira escavando túneis no subterrâneo escuro.

Ela guia o chimpanzé ao seu ninho noturno —

e a zebra bebê para encontrar sua mãe

entre centenas de
mães listradas de branco e negro.

Ela cuida da pradaria onde os cavalos selvagens salpicados de sol correm pela relva que silva ao roçar das patas —

a tundra
onde a rena
pasta o musgo,

e o gelo reluzente
onde o jovem urso-polar
caminha sobre suas patas almofadadas.

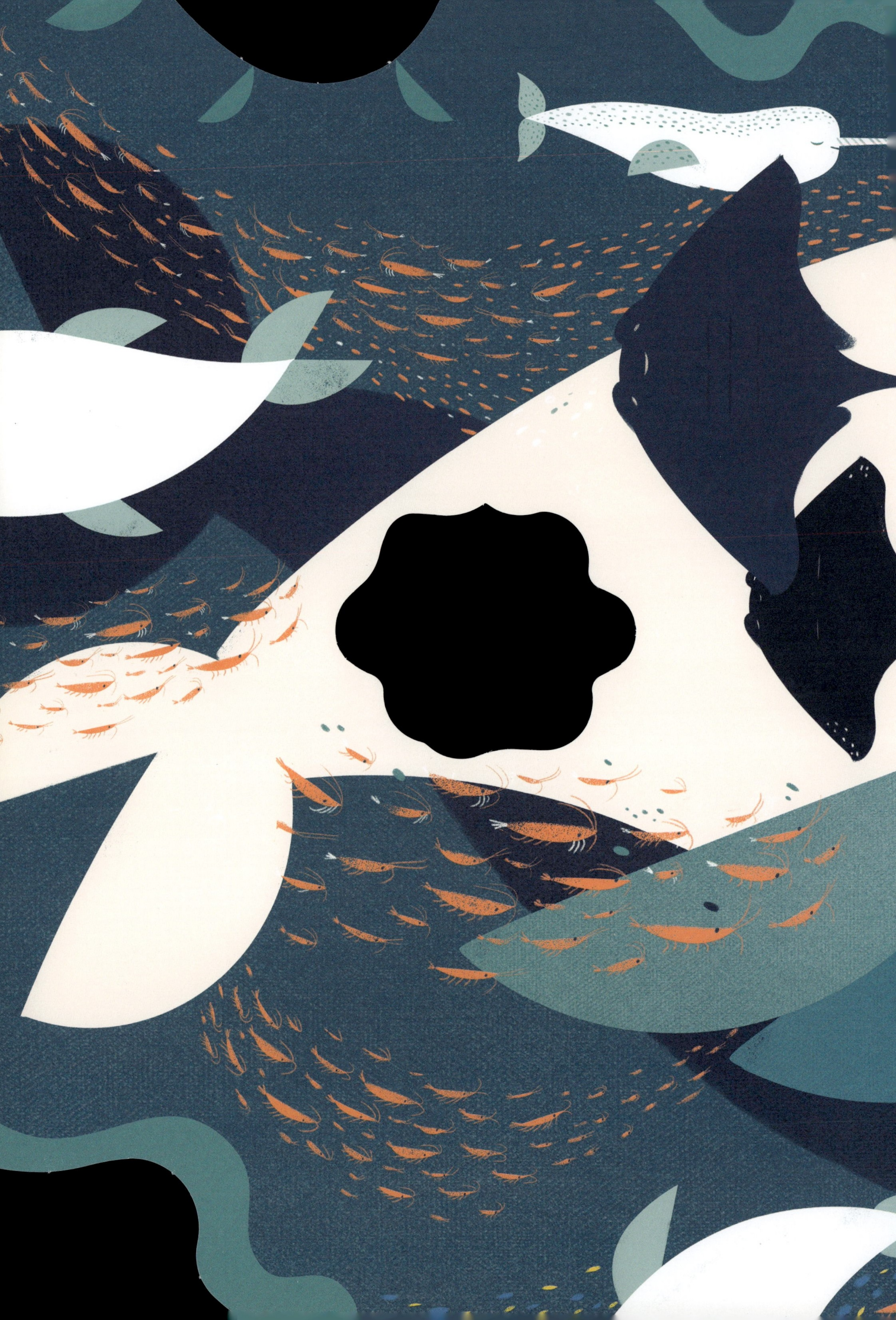

...arda todas as criaturas de todos os oceanos —
...raias negras elegantes como sombras,

o brilhante peixe-papagaio,
...rill que nada com milhões de outros krills fingindo ser grande

e as baleias que **são** grandes.

Minha amiga Terra
derrama a chuva de verão
para encher os riachos

que correm pelas mor

pelos campos

até os rios

até o mar.

Às vezes, ela derrama chuva demais,

inundando prados

e cidades

e estradas.

Até ela secar a terra.

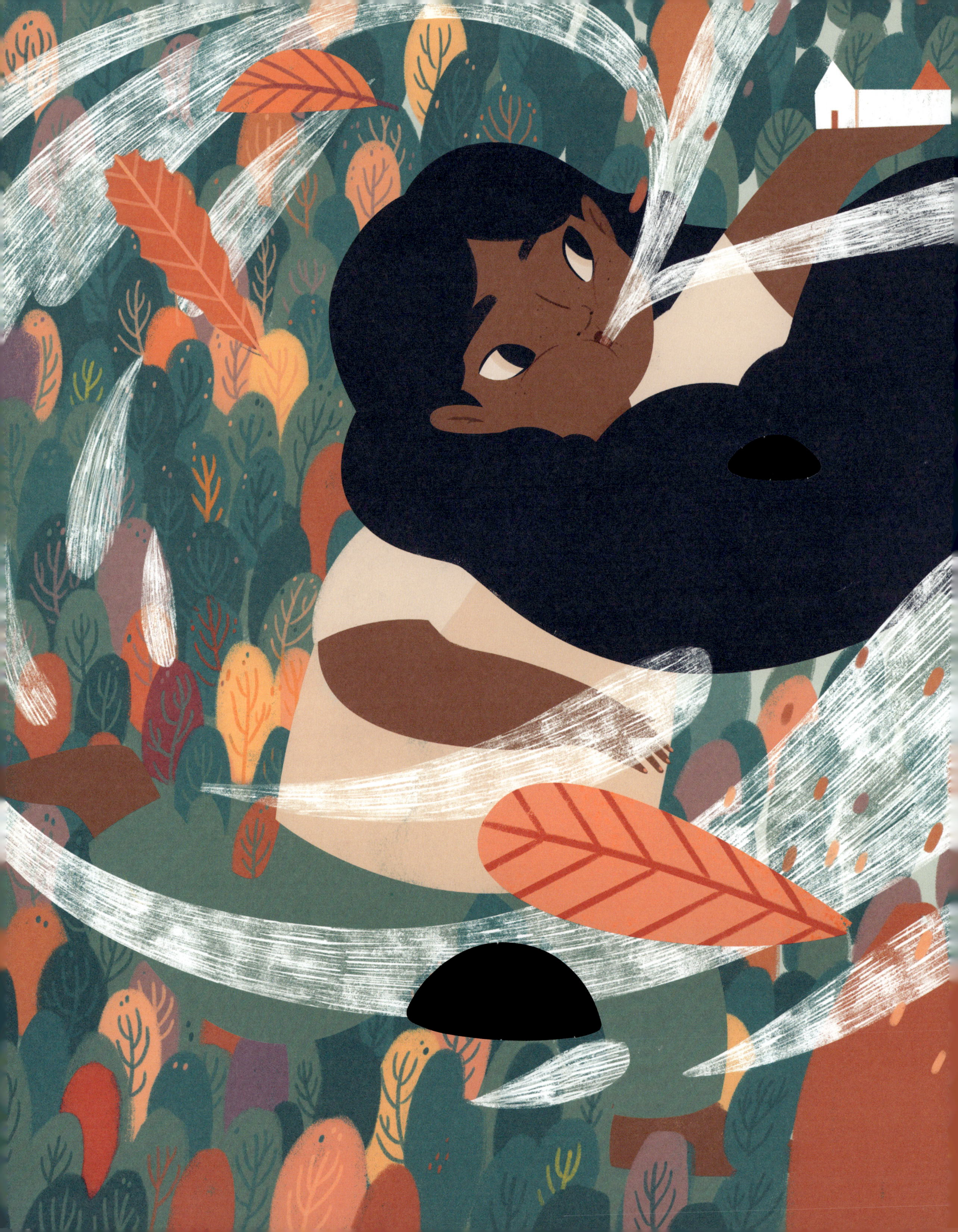

Às vezes, ela sopra ventos outonais ferozes, varrendo os galhos das árvores e destelhando celeiros.

Até ela parar o vento.

então folhas vermelhas e laranjas e amarelas flutuam rumo ao chão.

Quando o frio retorna,
minha amiga Terra borrifa a neve –
num sussurro silencioso –

cobrindo as tocas onde
os ursos-negros bebês nascem
na escura maciez,

caindo sobre o lago congelado onde a tartaruga dorme na lama,
acomodando-se dentro dos ninhos vazios de pássaros.

Sob o branco —

a silenciosa semente

é embalada no solo escuro.

Olhando.

Esperando.

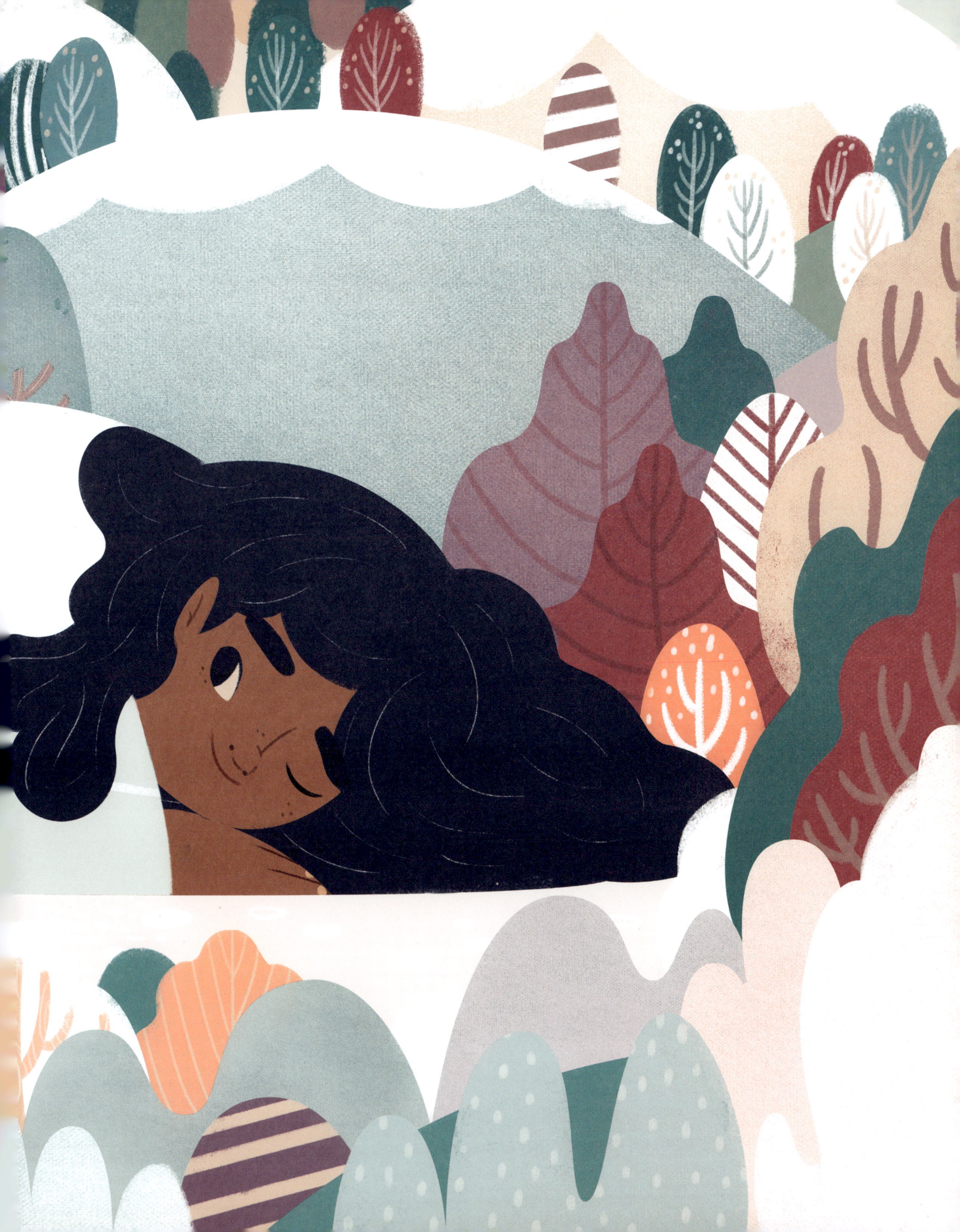

PATRICIA MacLACHLAN é autora de dezenas de obras. Em 1986, o livro *Sarah, plain and tall* ganhou a Newberry Medal, um dos mais prestigiados prêmios da literatura infantil americana. Mora em Massachusetts, Estados Unidos.

FRANCESCA SANNA é italiana e nasceu na Sardenha. Estudou ilustração na Escola de Artes Visuais de Nova York e na Academia de Arte e Design em Lucerna, na Suíça. De sua autoria, a VR Editora publicou o premiado *A viagem* e *Eu e meu medo*. Vive em Zurique (Suíça).

TÍTULO ORIGINAL *My friend Earth*
© 2020 Patricia MacLachlan (texto)
© 2020 Francesca Sanna (ilustrações)
© 2020 VR Editora S.A.
Publicado pela primeira vez em inglês pela
Chronicle Books LLC, São Francisco, Califórnia.

REVISÃO Natália Chagas Máximo
DESIGN Sarah Gillingham Studio
DIAGRAMAÇÃO Pamella Destefi

Dados Internacionais de Catalogação na Publicação (CIP)
(Câmara Brasileira do Livro, SP, Brasil)

MacLachlan, Patricia
Minha amiga Terra / Patricia MacLachlan; ilustrado por Francesca Sanna; traduzido por Fabrício Valério. - 1. ed. - São Paulo: VR Editora, 2019.

Título original: My friend Earth
ISBN 978-85-507-0298-8

1. Dia da Terra - Literatura infantojuvenil 2. Estações do ano - Literatura infantojuvenil 3. Livros ilustrados para crianças 4. Terra (Planeta) - Literatura infantojuvenil I. Sanna, Francesca. II. Título.

19-31093   CDD-028.5

Índices para catálogo sistemático:
1. Planeta Terra: Literatura infantil 028.5
2. Planeta Terra: Literatura infantojuvenil 028.5
Cibele Maria Dias - Bibliotecária - CRB-8/9427

Todos os direitos desta edição reservados à
VR EDITORA S.A.
Rua Cel. Lisboa, 989 | Vila Mariana
CEP 04020-041 | São Paulo | SP
Tel.| Fax: (+55 11) 4612-2866
vreditoras.com.br | editoras@vreditoras.com.br

SUA OPINIÃO É MUITO IMPORTANTE
Mande um e-mail para opiniao@vreditoras.com.br
com o título deste livro no campo "Assunto".

1ª edição, mar. 2020
FONTES Sonopa Std 20/26pt

Impresso na China. Printed in China.